# Saveurs du monde

# BRÉSIL

**Mariana Serra**

# GAMMA • ÉCOLE ACTIVE

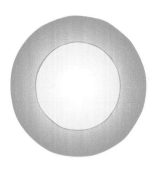

# Dans la collection :

- ## Brésil
- ## Chine
- ## Italie
- ## Kenya

**Photo de couverture** : un jeune garçon revient du marché portant un panier de légumes.

**Page de titre** : un jeune garçon déguisé en dieu du candomblé.

**Page de sommaire** : une danseuse vêtue d'un costume bariolé prend part aux fêtes de juin.

© Wayland Publishers Limited, 1998
titre original : *A flavour of Brazil*.
© Éditions Gamma,
60120 Bonneuil-les-Eaux, 1999,
pour l'édition française.
Dépôt légal : septembre 1999,
Bibliothèque nationale.
ISBN 2-7130-1877-3

Exclusivité au Canada :
Éditions École Active
2244, rue de Rouen,
Montréal, Qué. H2K 1L5.
Dépôts légaux : septembre 1999,
Bibliothèque nationale du Québec,
Bibliothèque nationale du Canada.
ISBN 2-89069-600-6

# SOMMAIRE

Le Brésil et ses spécialités     4

L'agro-alimentaire     6

Le carnaval     12

Le taureau Bumba     18

Les fêtes de juin     22

Bonfim     26

Glossaire     30

Pistes pédagogiques     31

Index     32

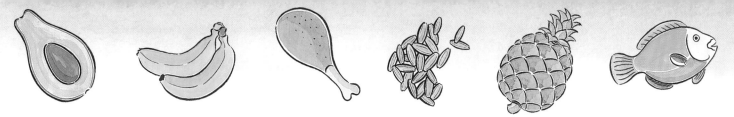

# Le Brésil et ses spécialités

GUYANA

VÉNÉZUELA

SURINAM

GUYANE FRANÇAISE

COLOMBIE

OCÉAN
ATLANTIQUE

ÉQUATEUR

Amazone

CÉARÁ

PERNAMBUCO

PÉROU

BAHIA

● Salvador

MATO GROSSO

BOLIVIE

Brasília ●

N

CHILI

PARAGUAY

São Paulo
●

Rio de Janeiro
●

PARANÁ

ARGENTINE

RIO
GRANDE
DO SUL

0          1200 km

URUGUAY

BRÉSIL

Le Brésil dans le monde

4

## LES HARICOTS NOIRS ET LE RIZ

Les Brésiliens mangent des haricots noirs et du riz presque tous les jours.
Ce sont des aliments très nutritifs.
La *feijoada* est un plat de haricots noirs.

## LE MANIOC

Le manioc est un aliment de base dans la forêt pluviale du nord. Tu peux voir des racines de manioc dans le bas de cette photo. Le manioc est utilisé dans de nombreux plats sucrés partout au Brésil.

## LE BÉTAIL, LES PORCS ET LES POULETS

Tous ces animaux sont élevés dans de grandes fermes. Les Brésiliens apprécient beaucoup la viande grillée au barbecue.

## LE POISSON

Beaucoup de Brésiliens vivent près d'une rivière ou sur la côte où ils trouvent une grande variété de fruits de mer et de poissons. Ils apprécient les plats tel le poisson mimini.

## LE SUCRE ET L'HUILE

La canne à sucre est cultivée dans des plantations. L'huile est extraite des palmiers. Le sucre et l'huile fournissent les apports d'énergie aux Brésiliens du Nord-Est qui est une région sèche.

## LES FRUITS

Des fruits exotiques, tels que la graviola et l'açai, poussent dans la nature. D'autres, parmi lesquels les oranges et les bananes, poussent dans des plantations.

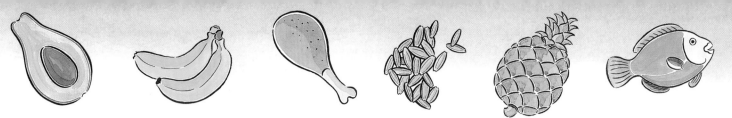

# L'agro-alimentaire

Le Brésil est l'un des plus grands pays. Il couvre plus de la moitié du continent sud-américain et compte plus de 165 millions d'habitants.

Dans le Nord du Brésil, s'étend la plus grande forêt tropicale du monde, la forêt amazonienne. Le climat y est chaud et humide. Le Nord-Est du Brésil est toujours chaud et sec, presque comme un désert. Dans la région du Rio Grande do Sul, dans le Sud, les hivers peuvent être si froids que, parfois, il neige.

▼ Un ouvrier agricole et ses enfants dans une plantation de canne à sucre de Pernambuco.

# Le riz et les haricots noirs

La diversité des climats au Brésil permet une grande variété de cultures. Le riz et les haricots noirs sont les deux aliments de base. Les haricots noirs sont cultivés partout où le climat est assez chaud (excepté dans la forêt tropicale). Le riz a besoin d'un climat chaud et d'un sol humide ; il est cultivé dans les terrains marécageux de l'ouest.

▲ Ces habitants de São Paulo s'apprêtent à manger de la *feijoada*, un plat très apprécié, confectionné avec des haricots noirs.

◀ Ces fermiers récoltent le riz dans l'Ouest du Brésil.

7

▲ À Ceara, cet étal de marché offre du manioc parmi d'autres fruits et légumes.

# Les cultures

La plupart des fruits et légumes sont cultivés dans de grandes plantations partout au Brésil, sauf dans la forêt tropicale.

Il est difficile de cultiver quoi que ce soit dans cette forêt. Ses habitants se déplacent d'un endroit à l'autre et se nourrissent de plantes qui poussent dans la nature.

◀ Un cow-boy rassemble un troupeau de bovins dans le Mato Grosso.

▼ À Paranà, cet homme prépare des *churrascos*.

# Les barbecues

Les fermiers de l'Ouest élèvent des milliers de têtes de bétail dans des ranchs immenses. Ces troupeaux gigantesques doivent se déplacer régulièrement pour trouver de nouveaux pâturages.

La plupart des Brésiliens apprécient la viande. Les cow-boys du Sud, appelés *gauchos*, prétendent faire les meilleurs barbecues du monde. Ils couvrent les gros morceaux de viande de sel avant de les faire cuire. La viande ainsi préparée est appelée *churrasco*.

◀ Cette fillette fait
cuire des tortues,
un plat traditionnel
chez les habitants
de la forêt tropicale.

# Les religions du Brésil

Les Indiens de la forêt tropicale furent
les premiers à vivre au Brésil. Certains de leurs
descendants parlent encore leurs langues
et ont conservé leurs croyances religieuses.
Mais la plupart des Brésiliens sont aujourd'hui
catholiques et parlent portugais car, en 1500,
des colons arrivèrent du Portugal et dirigèrent
le pays pendant plus de 300 ans.

Les colons portugais firent venir des esclaves d'Afrique pour les faire travailler dans leurs plantations. Ces esclaves avaient leurs croyances religieuses et, avec le temps, ces croyances devinrent une religion appelée candomblé.

Les fidèles du candomblé croient en de nombreux dieux appelés *orishas*. Beaucoup d'adeptes du candomblé assimilent leurs dieux aux saints catholiques. Par ailleurs, les catholiques participent souvent à des fêtes non-chrétiennes.

Cette femme est une ▶ adepte de la religion candomblé. Elle vend de la nourriture traditionnelle de Bahia.

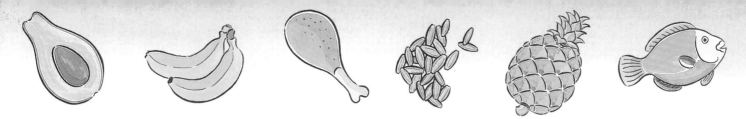

# Le carnaval

Certaines personnes considèrent le carnaval brésilien comme la plus grande fête du monde. Le carnaval est né en Europe il y a des centaines d'années. À l'origine, il était célébré par les catholiques. Au Brésil, il est aujourd'hui une occasion de faire la fête pour tous. Les célébrations les plus spectaculaires ont lieu à Rio de Janeiro.

▼ Ces enfants de Salvador sont déguisés pour le carnaval.

# Les défilés

▲ Un étincelant défilé de carnaval à Rio de Janeiro.

À l'époque du carnaval, les rues de Rio sont pleines de gens qui dansent la samba. La samba est une musique brésilienne rythmée par les tambours. Elle est issue de la musique africaine jouée pendant les cérémonies du candomblé. Pendant le carnaval, les différentes écoles de samba organisent, dans les rues, des défilés colorés qui durent quatre jours et quatre nuits !

## LES ÉCOLES DE SAMBA

Ces écoles sont des troupes qui, toute l'année, préparent des danses et des costumes éblouissants pour les défilés du carnaval. Elles se livrent à une compétition qui couronne les meilleurs costumes et musiques.

# La naissance du carnaval

Au Moyen Âge, les chrétiens européens célébraient le carnaval les jours précédant le carême. Pendant le carême, les chrétiens ne consomment pas de viande et parfois pas de nourriture du tout. C'est une façon de commémorer les derniers jours de la vie de Jésus. Le carnaval était l'occasion de manger, de boire et de beaucoup s'amuser avant le début du jeûne.

▲ Ces fruits délicieux ont été préparés pour un banquet du carnaval.

## ROI D'UN JOUR

Autrefois, pendant le carnaval, les nobles se déguisaient en gens du peuple pour se mêler à la fête. La foule choisissait son roi du carnaval, le roi d'un jour. Au Brésil, des esclaves africains pouvaient, pendant quelques jours, se divertir et se moquer de leurs maîtres en s'habillant comme eux.

Partout au Brésil, ▶ les gens descendent dans les rues pour danser et s'amuser pendant le carnaval.

# Les saveurs du carnaval

▲ Des piments forts
relèvent le goût du riz.

La plupart des Brésiliens ne jeûnent plus
pendant le carême, mais ils préparent encore
des plats spéciaux pour fêter le carnaval. Le riz
au piment est l'un de leurs plats préférés ; il
montre comment se sont mélangés les différents
types de cuisine des gens qui sont venus vivre
au Brésil. Le riz est très employé dans la cuisine
portugaise et les piments forts montrent le goût
des Africains pour les plats épicés.

# Riz parfumé au piment

## USTENSILES

une planche
   à découper
un couteau
un verre mesureur

une bouilloire
une cuillère à soupe
une grande casserole
une cuillère en bois

## INGRÉDIENTS (pour 2 ou 3)

une cuillerée à soupe d'huile
un petit oignon coupé en dés
une gousse d'ail hachée
200 g de riz à grains longs
un piment fort
450 ml d'eau chaude
1/2 cuillerée à café de sel

**1** Verse l'huile dans la casserole et fais chauffer quelques secondes.

**2** Ajoute l'oignon, l'ail et le riz et fais-les revenir à feu doux pendant 4 mn.

**3** Ajoute le piment fort, l'eau chaude et le sel. Mélange bien et fais bouillir.

**4** Laisse mijoter pendant 15 mn. Quand le riz est tendre et l'eau absorbée, enlève le piment et sers.

Attention aux couteaux et aux casseroles chaudes. Demande l'aide d'un adulte.

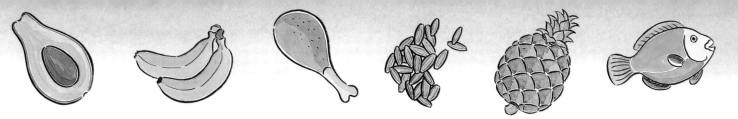

# Le taureau Bumba

La fête du taureau Bumba ou *Boi Bumba* est célébrée dans de nombreux villages de l'Amazonie. Ces célébrations sont liées à une légende de la forêt. Certaines personnes parcourent de grandes distances pour participer à la fête dans le petit village de Paratins. Arrivées au village, elles revêtent des costumes multicolores, et écoutent de la musique, dansent et regardent les feux d'artifice.

▼ Une famille de la forêt tropicale, dans un village situé sur les bords du fleuve Amazone.

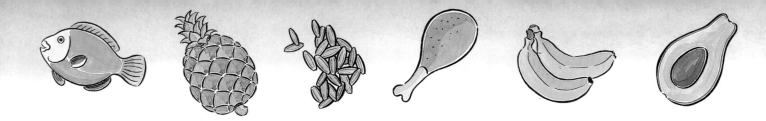

# La légende du taureau Bumba

D'après cette légende, une femme enceinte
éprouvait des envies pour certains aliments.
Un jour, elle eut une forte envie de viande
de bœuf et demanda à son mari de tuer
le taureau favori de son patron.

Lorsque le patron du mari découvrit
son taureau mort, il fut très
malheureux. Il fit appeler
un *pajé*, un chef religieux
des Indiens de la forêt.
Le *pajé* dansa autour
du taureau mort
en prononçant des
formules magiques.
Après de nombreux
efforts, il parvint
à ramener le
taureau à la vie
et tout le monde
se mit à danser
de joie.

Ces danseurs sont ▶
déguisés en personnages
de la légende du taureau
Bumba.

19

## LA PÊCHE DANS L'AMAZONE

Les habitants de la forêt pêchent debout dans la rivière avec une lance. Cette pêche peut être dangereuse à cause des piranhas, qui sont des poissons armés de grandes dents qui attaquent les nageurs.

# Les plats de fête

Les Brésiliens évitent de manger de la viande pendant la fête du taureau Bumba, en souvenir de l'amour que l'homme de la légende portait à son taureau. Ils mangent parfois du poisson pêché dans l'Amazone. Tu trouveras ci-contre la recette d'un plat de poisson. Elle est réalisée aussi à l'aide de lait de coco, un ingrédient très utilisé dans la cuisine brésilienne.

▼ Les plats de poisson, tel ce poisson mimini, sont très appréciés des Brésiliens.

# Le poisson mimini

## INGRÉDIENTS (pour 1)

100 g. de poisson à chair blanche
un oignon moyen émincé
une gousse d'ail écrasée
trois tomates coupées
une cuillerée à soupe d'huile
sel et poivre
une boîte de 400 ml de lait de coco
ou 1/2 paquet de crème de coco,
dilué dans 350 ml d'eau bouillante

## USTENSILES

une planche
à découper
un couteau
un presse-ail

une poêle à frire
une spatule
une cuillère en bois
une assiette

Fais chauffer l'huile dans une poêle et fais frire le poisson. Quand il est doré, mets-le dans une assiette.

Fais revenir les oignons et l'ail jusqu'à ce qu'ils soient tendres.

Ajoute les tomates et fais frire pendant 3 minutes. Sale et poivre à ton goût.

Remets le poisson frit dans la poêle et ajoute le lait de coco. Porte le mélange à ébullition. Sers aussitôt avec du riz.

**Attention aux casseroles et aux couteaux. Demande l'aide d'un adulte.**

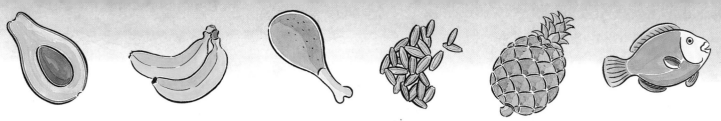

# Les fêtes de juin

Les traditions catholiques sont très importantes au Brésil. Les fêtes de juin, ou *Festas Juninas*, sont célébrées en l'honneur de saint Antoine, saint Pierre et saint Jean. C'est saint Jean qui a le plus grand nombre de disciples et tous, particulièrement les enfants, attendent avec impatience le jour de la fête de saint Jean.

Les habitants du Nord-Est du Brésil croient que saint Jean protège les récoltes de maïs et de haricots verts et qu'il leur assure ainsi une nourriture abondante. Ils célèbrent la fête de saint Jean à l'époque des récoltes.

▼ Récolte du maïs dans l'Est du Brésil.

# La Saint-Jean

Les catholiques brésiliens commencent cette fête de saint Jean par une messe spéciale à l'église. À l'école, les enfants écoutent des histoires sur la vie du saint.

L'après-midi, se déroulent des fêtes en plein air. Tous revêtent les habits traditionnels que portaient les paysans du Centre du Brésil. Les gens participent à des jeux traditionnels tels que sauter par-dessus un feu de joie ou grimper à un mât glissant. C'est une journée où tout le monde s'amuse.

Danseuse portant des ▶ vêtements traditionnels lors de la Saint-Jean.

23

À l'occasion des fêtes de juin, les Brésiliens apprécient des plats à base de maïs dont la culture est protégée par saint Jean. Ils l'utilisent pour faire des gâteaux, mais le mangent aussi en épis. Sur la page ci-contre, tu trouveras la recette d'un gâteau au maïs.

▲ Le gâteau au maïs est un plat traditionnel de la Saint-Jean.

## LA MUSIQUE POUR TOUS

Pendant les fêtes de la Saint-Jean, les gens dansent sur la musique *Forro* qui se joue avec des accordéons et des percussions. Le mot *Forro* date de l'époque où les Anglais construisaient le premier chemin de fer au Brésil. Tous les mois, les patrons anglais invitaient les ouvriers à une réception ouverte à tous, en anglais : *for all*. *For all* devint *Forro*.

◄ Une jeune fille savoure un délicieux épi de maïs.

# Le gâteau au maïs

## USTENSILES

| | |
|---|---|
| un ouvre-boîtes | un moule beurré |
| un robot ménager | des gants de cuisine |
| ou un batteur | (antichaleur) |
| et un bol | une grille de cuisson |
| une cuillère en bois | |

## INGRÉDIENTS

1 boîte de 325 g de maïs égoutté

100 g de beurre ramolli

125 g de farine complète

3 œufs battus

1 boîte de 400 ml de lait de coco

1 cuillerée à café de levure

400 g de sucre en poudre

**1** Fais préchauffer le four à 180 °C. Mets tous les ingrédients dans le robot ou dans le bol.

**2** Bats jusqu'à obtenir une pâte lisse. Verse le mélange dans le moule.

**3** Fais cuire pendant environ 50 mn. Vérifie la cuisson du gâteau en enfonçant un couteau au milieu - il doit en ressortir propre.

**4** Retourne le gâteau sur la grille pour le faire refroidir, puis découpe-le en tranches et sers.

**Sois prudent en utilisant le four. Demande à un adulte de t'aider.**

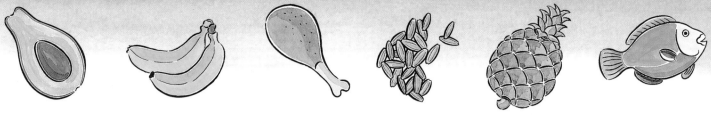

# Bonfim

Salvador est la plus vieille ville du Brésil et ses habitants ont maintenu vivante la religion candomblé. Les fêtes consacrées aux différents dieux, appelés *orishas*, sont célébrées à Salvador tout au long de l'année.

La fête de *Bonfim*, au mois de janvier, célèbre le dieu Oxalá, le père de tous les *orishas*. De nombreux Brésiliens assimilent Oxalá à Jésus.

Les roses blanches sont les fleurs préférées d'Oxalá et les haricots noirs sa nourriture favorite.

▼ Des adeptes du candomblé, à Bahia, vêtues de blanc en l'honneur du dieu Oxalá.

## LES ORISHAS

Oxalá est assimilé à Jésus et les autres *orishas*, aux saints chrétiens. Chaque *orisha* a lui aussi sa nourriture préférée.

| Orisha | Saint chrétien | Nourriture préférée |
|---|---|---|
| Ogum | saint Antoine | igname |
| Oxóssi | saint Georges | maïs et noix de coco |
| Oxumaré | saint Barthélemy | haricots au maïs et à l'huile |

Pour la fête de *Bonfim*, les adeptes de la religion candomblé s'habillent de blanc, qui est symbole de paix et de pureté.

Des milliers de personnes forment une procession vers l'église de Notre Seigneur Jésus de Bonfim. Là, ils assistent à la cérémonie du lavage des marches de l'église, avec de l'eau de rose, par des femmes adeptes de la religion candomblé.

Plus tard, les gens dansent sur la musique traditionnelle candomblé.

Ces femmes de Bahia ▶ prennent part à la cérémonie du lavage des marches d'une église, cérémonie identique à celle de *Bonfim*.

27

## LES RUBANS DE *BONFIM*

Les Brésiliens croient que les rubans achetés à Salvador portent bonheur. D'après la tradition, si tu portes un ruban à ton poignet jusqu'à ce qu'il casse, trois de tes vœux seront exaucés.

# Le marché d'Oxalá

▲ Ces rubans colorés de *Bonfim* sont des porte-bonheur.

Près de l'église de *Bonfim*, des femmes candomblé, appelées *Bahianas*, installent un marché. On peut y acheter des rubans de *Bonfim* porte-bonheur et de la soupe aux haricots noirs, le mets préféré d'Oxalá. Tu trouveras ci-contre une recette de soupe aux haricots noirs.

▼ Les haricots noirs sont utilisés dans de nombreux plats, comme cette succulente soupe.

28

# Soupe aux haricots

## USTENSILES

une planche          un ouvre-boîtes
un couteau          une louche
une casserole          un robot ménager

Cette recette peut aussi se préparer sans robot. Voir page 3.

## INGRÉDIENTS (pour 2 ou 3)

- 250 g de haricots noirs ou de haricots secs mis à tremper pendant une nuit
- 1 oignon émincé
- 1 gousse d'ail écrasée
- 1 boîte de tomates coupées en morceaux
- 1 bouillon-cube au bœuf ou au poulet
- 1 cuillerée à soupe de persil haché
- 1 cuillerée à soupe de coriandre hachée

**1** Mets les haricots dans la casserole, couvre-les d'eau froide et porte-les à ébullition. Fais bouillir pendant 2 mn en ne couvrant qu'en partie la casserole.

**2** Fais fondre le bouillon-cube dans la casserole et ajoute les autres ingrédients. Couvre et laisse mijoter 15 mn. Ajoute de l'eau si nécessaire.

**3** Verse le mélange dans le robot et mixe pour obtenir une soupe onctueuse ou laisse mijoter pendant encore 10 mn.

**4** Reverse la soupe dans la casserole et réchauffe-la. Sers décoré avec des petits morceaux de bacon frit.

**Attention aux casseroles et aux couteaux. Demande l'aide d'un adulte.**

# Glossaire

**accordéon** : instrument qui se joue en comprimant un soufflet (sac d'air) et en appuyant sur les touches d'un clavier.

**catholiques** : chrétiens dont le chef spirituel est le pape, qui se trouve à Rome, en Italie.

**colon** : personne qui quitte son pays pour s'installer dans un autre pays.

**climat** : temps qu'il fait généralement dans une région.

**descendant** : parent de personnes mortes il y a très longtemps.

**envie** : attirance très forte pour quelque chose.

**esclave** : personne qui est la propriété d'autres personnes. Elle n'a aucune liberté.

**forêt tropicale** : forêt épaisse qui pousse dans des régions au climat chaud et humide.

**jeûne** : privation totale ou partielle de nourriture.

**marécage** : terrain très humide parfois recouvert d'une épaisse couche de plantes.

**messe** : importante cérémonie catholique.

**nutritif** : se dit d'un aliment riche en éléments qui aident notre corps à grandir et à rester en bonne santé.

**plantation** : grande ferme où l'on cultive des produits agricoles, généralement pour les vendre à d'autres pays.

**ranch** : grande ferme où l'on élève des animaux, en particulier des bovins.

### Crédits photographiques

Chapel Studios/Zul Mukhida 5 (en haut à droite), 16, 20, 24 (en haut), 28 (en bas) ; Sue Cunningham *couverture,* page de titre, sommaire, 9 (bas), 12, 13, 14, 18, 19, 23, 24 (bas), 27, 28 (en haut) ; Eye Ubiquitous/James Davis 11 ; Hutchison 26 ; Impact 22/Marco Siqueira ; Panos 7 (bas)/Sean Sprague ; Edward Parker 5 (au centre à droite), 5 (en bas à gauche), 6, 9 (en haut), 10 ; South American Pictures 5 (en haut à gauche)/Jason P. Howe, 5 (en haut à gauche)/Tony Morrison, 7 (en haut)/Jason P. Howe, 8/Tony Morrison, 15/Tony Morrison ; Wayland Picture Library/Julia Waterlow 5 (en bas à droite). Les illustrations des fruits et légumes sont réalisées par Tina Barber. Carte 4 Peter Bull et Hardlines. Maquette : Judy Stevens.

# Pistes pédagogiques

### MATHÉMATIQUES

L'utilisation et la compréhension des mesures (pour les recettes)

L'utilisation et la lecture d'instruments de mesure (balances)

L'utilisation des poids et des mesures

L'utilisation et la compréhension des fractions

### MUSIQUE

Écouter de la samba

La musique d'une culture différente

### GÉOGRAPHIE

L'étude de la géographie locale

Paysages et climats

L'agriculture

L'influence du paysage sur les activités humaines : l'agriculture et les fêtes liées aux aliments

Prise de conscience du contexte local

## Saveurs du monde pistes pédagogiques

### TECHNOLOGIE

Dessiner un costume de carnaval

Fabriquer un masque de taureau

Les emballages

Préparer les repas

Suivre une recette

### SCIENCES

La nourriture et la nutrition

La santé

Les plantes dans différents milieux

La forêt tropicale

Les états de la matière

### FRANÇAIS

Composition d'un texte ayant pour thème le carnaval

Composition d'un poème ou d'une histoire dont le thème est la nourriture

Composition d'un menu de repas de fête brésilien

### LANGUES VIVANTES

Les activités quotidiennes : la cuisine

Les hommes, les lieux et les coutumes

### HISTOIRE

Le colonialisme

Enquête sur les techniques agricoles utilisées depuis un siècle

### RITES ET COUTUMES

Les plats traditionnels

Les religions des Amérindiens

La carême et le carnaval

# Index

accordéon 24, 30
Afrique 11, 13, 14, 16
Amazone 20

barbecue 5, 9
Boi Bumba 18-21
Bonfim 26-9

candomblé 11, 13, 26-28
canne à sucre 5, 6
carnaval 12-17
catholique 10, 11, 12,
  22, 23
churrasco 9
costume 12, 13, 18, 23
cow-boy 9

défilé 13, 15

esclave 14

feijoada 5, 7
ferme 5, 9
Festas Juninas 22, 25
forêt tropicale 5, 6, 7, 18
  30
fruits 5, 8

gâteau au maïs 24, 25

haricots noirs 5, 7, 26, 28

jeûne 16, 30

maïs 22, 24
manioc 5, 8
marché 8, 28
moisson 7, 22
musique 13, 18, 24, 27

orisha 11, 26

Oxalá 26, 28

plantation 5, 6, 8, 11, 30
poisson 5, 20
poisson mimini 5, 20, 21
Portugal 10, 11, 14, 16

ranch 9, 30
riz 5, 7, 16
riz au piment 16, 17

samba 13
Saint-Jean 22-24
soupe de haricots noirs
  28, 29

taureau Bumba 18-21

viande 5, 9, 14, 20